Le village des mini-fées

© Hachette Livre, 2007, pour la présente édition.
Novélisation : Sophie Marvaud
Conception graphique du roman : François Hacker

Hachette Livre, 43, quai de Grenelle, 75015 Paris.

Winx Club ™

Le village des mini-fées

HACHETTE

Bloom

C'est moi, Bloom, qui te raconte les aventures des Winx. À l'université d'Alféa où je poursuis mon apprentissage de fée, j'ai découvert peu à peu ma véritable identité. Je suis la fille du roi et de la reine de la planète Domino, qui a été détruite par les ancêtres des Trix. Je n'étais alors qu'un bébé. C'est ma sœur aînée, la nymphe Daphnée, qui m'a sauvée. Elle a trouv sur Terre des parents adoptifs aimants à qui me confier. Aujourd'hui, je possède le formidable pouvoir de la flamme du dragon, convoité par les forces du mal. Et je suis en première ligne pour défendre la planète Magix. Heureusement je peux compter sur mes amies, fidèles et solidaires : les Winx !

Stella

Fée de la lune et du soleil, elle a une très grande confiance en elle. Un peu trop, parfois ! Mais elle est aussi courageuse que vive et drôle.

fJora

Fée de la nature, douce et généreuse, elle est à l'écoute des plantes et elle sait leur parler. Cela nous sort de nombreux mauvais pas !

Tecna

Sous son apparence directe et un peu punk, elle cache une grande débrouillardise. Normal, elle est la fée des sciences et des inventions !

musá

Fée de la musique, orpheline, elle possède une grande sensibilité. Face au danger, pourtant, elle n'hésite pas à utiliser la musique comme une arme !

Lockette

Chatta

Piff

Les mini-fées sont de minuscules
créatures magiques qui ont pour
mission d'aider les fées à remplir
leurs devoirs. Lorsqu'une fée et une
mini-fée deviennent inséparables, on
dit qu'elles forment une connexion
parfaite. Chaque Winx est
impatiente de trouver la mini-fée
qui lui correspond !

Digit

Tune

Amore

Les mini-fées sont sous la protection de leur grande amie fée : Layla. Pour échapper à ses ennemis, celle-ci devient une nouvelle élève d'Alféa. Pourra-t-elle s'intégrer au groupe des Winx ?

L'université des fées est dirigée par l'adorable Mme Faragonda. Celle-ci en sait souvent bien plus long qu'elle ne veut nous le dire.

Au royaume de Magix,
un lieu hors du temps et de l'espace,
la magie est quelque chose de
normal. En plus d'Alféa, deux écoles
s'y trouvent : la Fontaine Rouge et
la Tour Nuage. Les Spécialistes
fréquentent l'école de la Fontaine
Rouge. Ah ! les garçons…
Nous craquons pour eux parce qu'ils
sont charmants, généreux,
dynamiques… Mais ils se disputent
tout le temps. Dur pour eux
de former une équipe aussi
solidaire que la nôtre.

Prince Sky, héritier du royaume d'Éraklyon, avait échangé son identité avec celle de son plus fidèle ami : Brandon. Ainsi a-t-il pu échapper à ses ennemis. Bon et courageux, il a su toucher mon cœur…

Brandon, celui que l'on prenait auparavant pour Prince Sky, est aussi charmant que dynamique. Pas étonnant que Stella craque pour lui !

Riven n'a vraiment pas un caractère facile ! Mais son côté romantique ne laisse pas indifférent certaines jeunes fées et sorcières…

Timmy, plein d'astuce et d'humour, intéresse fort Tecna. N'aurait-il pas quelques défauts lui aussi ? Est-il vraiment aussi courageux que ses amis ?

Convoité par les forces du mal,
Magix est le lieu d'affrontements
terribles.

Le Phoenix est le plus puissant de
nos ennemis. Squelette dissimulé
dans une armure, ou bien oiseau de
feu, il change d'apparence à volonté.
Mais qui est-il exactement ?
Et que cherche-t-il ?

Sous les ordres du Phoenix,
l'armée des ténèbres est
composée d'un grand nombre
de créatures monstrueuses
et malfaisantes.

Associées au Phoenix, trois sœurs
sorcières forment un groupe uni et
redoutable : les Trix. Obsédées par
leur recherche insatiable de pouvoirs
magiques, elles sont prêtes à tout
pour anéantir les Winx !

Icy, qui est à la fois l'aînée des
Trix et leur chef, a pour armes
préférées les cristaux de
glace, le blizzard, les icebergs.

Stormy sait déclencher
tornades et tempêtes.

Darcy utilise des sortilèges
mentaux : elle crée des illusions
de toutes sortes qui peuvent
rendre fou.

Mme Griffin est la directrice de la
Tour Nuage, l'école des sorcières.
Mme Faragonda semble lui faire
confiance. Mais je me demande
si ce n'est pas une erreur…

Résumé des épisodes précédents

Bien que Mme Faragonda nous ait envoyées en mission à la Tour Nuage, nous n'avons pas réussi à empêcher les Trix de récupérer le Codex qui y était caché. Et, comble de malheur, le terrible Darkar m'a ensorcelée, moi, Bloom afin que je vole le Codex d'Alféa ! Le professeur Avalon a réussi à briser le sortilège qui m'emprisonnait, mais trop tard ! À cause de moi, Darkar a récupéré le Codex.

Pour la suite de nos aventures, je laisse la parole à Layla.

Une incroyable décision

En compagnie de mes amies les Winx, je frappe à la porte de la directrice d'Alféa.

— Excusez-nous, madame, vous vouliez nous voir ?

— Oui, bonjour Layla. Entrez, mesdemoiselles.

La directrice d'Alféa paraît très fatiguée. Mes amies ne semblent pas en meilleure forme, avec leur air renfrogné !

— Mesdemoiselles, vous venez de traverser une période particulièrement difficile.

— Vous êtes en dessous de la vérité ! s'écrie Stella. Ces dernières semaines ont été horribles !

Mme Faragonda la regarde et pousse un soupir. Je donne un coup de coude à Stella. Écoutons ce que la directrice veut nous annoncer !

— Vous savez, commence-t-elle, que Darkar a réussi à obtenir trois des quatre parties du Codex : celles qui étaient cachées à la Fontaine Rouge, à la Tour Nuage et à Alféa. S'il trouve la quatrième partie, dans

le village des mini-fées, il devien-
dra invincible.

— Ce serait une catastrophe
pour Magix ! s'écrie Flora.

— Au lieu d'imaginer le pire,
dit Stella, on ferait mieux de préparer un plan !

— Parce que toi, évidemment,
tu as un plan génial en réserve !
s'énerve Musa.

Avec tristesse, je regarde mes
amies se disputer à nouveau.
Tecna préfère se plonger dans
son ordinateur magique. Et

Bloom baisse la tête. Je devine qu'elle se sent très malheureuse d'avoir été ensorcelée par Darkar... Sans elle, il n'aurait jamais pu obtenir le Codex d'Alféa !

Sur le front de Mme Faragonda, les plis s'accentuent.

— Jeunes fées... Tant que vous n'aurez pas retrouvé votre esprit d'équipe et votre amitié, vous ne nous serez d'aucune utilité. Je vais donc prendre une mesure radicale...

Nous échangeons des regards paniqués. Mme Faragonda va-t-elle nous demander de terminer notre scolarité chez les sorcières ? Ou pire, va-t-elle nous renvoyer d'Alféa ?

— Malgré la gravité de la situation, dit-elle, je ne vois qu'une solution : vous envoyer en vacances très loin d'ici, dans les Terres Sauvages...

Pas possible ! Je ne m'attendais pas à ça !

— Mais vous êtes sûre que c'est le bon moment, Mme Faragonda ? demande Flora.

— Tout à fait. Partir en vacances est exactement ce dont vous avez besoin.

Sur le mur du fond, la directrice fait apparaître quelques images de cette planète. Les Terres Sauvages possèdent trois types d'environnement. En altitude, des montagnes enneigées permettent de skier toute l'année. Au pied des montagnes, des plaines désertiques et des forêts tropicales abritent une grande diversité d'arbres exotiques et d'animaux sauvages.

— Comme ces paysages sont beaux !

— Oh, cet animal étrange est trop mignon...

Mais Mme Faragonda refroidit un peu notre enthousiasme en nous expliquant que dans les Terres Sauvages, notre magie ne fonctionnera pas.

— Et si jamais il nous arrivait quelque chose ? s'inquiète Flora. Comment on s'en sortirait ?

— Vous devrez utiliser votre intelligence. Et puis, pour vous aider, vous aurez aussi vos amis de la Fontaine Rouge, les Spécialistes.

— Quoi ? Les garçons nous accompagnent ? Hourra !

Stella tourbillonne sur elle-même.

— Toute la journée avec Brandon, quel bonheur !

Bloom ne dit rien. N'a-t-elle pas envie de revoir Sky ?

Je demande à la directrice :

— Et les mini-fées ? Est-ce qu'on peut les emmener avec nous ?

— Voyons... En ce qui concerne vos connexions parfaites, je suis d'accord, Layla. Mais les autres resteront avec moi.

— De vraies vacances... s'extasie Musa.

— On va pouvoir oublier un peu Darkar, renchérit Tecna. Ça va nous faire du bien !

Hum... Justement... Cela ne m'enchante pas de laisser derrière nous plusieurs mini-fées !

Je me sens responsable d'elles. Et si, en notre absence, il leur arrivait quelque chose ?

Chapitre 2

Ce que Layla ne sait pas

Le lendemain, dans la forêt d'Alféa, les professeurs Palladium et Avalon recherchent des plantes rares pour leurs potions magiques. Stamp, la mini-fée des messages, a décidé de les suivre, afin de s'exercer à slalomer

entre les arbres. Frrrt... Ziiiip !...
Yahou !...

Pour surfer dans les airs, elle
se sert d'une feuille, qu'elle fait
voler grâce à ses pouvoirs.

— Oh ! Regardez ! s'écrie
Palladium, très excité. Une
magnifique orchidée de l'espèce
« Vénus Rouge Dorée » !

— Ah oui... Cette plante est
efficace dans la préparation des
sorts hypnotiques, n'est-ce pas ?

— Exactement !

Palladium s'agenouille devant la fleur.

— Toi, tu vas finir dans mon panier !

Pendant qu'il sort son sécateur, Avalon remarque un peu plus loin une nouvelle espèce d'orchidée. Intrigué, il s'approche. Mais celle-ci lui lance un jet vénéneux droit dans les yeux !

— Aaah ! Mes yeux ! hurle-t-il.

Palladium abandonne sa trouvaille, et Stamp son slalom. Ils se précipitent vers Avalon, qui s'est évanoui.

— Le poison de cette plante est très toxique ! dit Palladium. Il faut administrer un remède au plus vite !

Il se tourne vers la mini-fée.

— Quelle chance que tu sois avec nous, Stamp ! Retourne le plus vite possible à Alféa et prévient le professeur Wizgyz.

— Vous pensez qu'il connaît un antidote à ce poison ?

— Je n'en sais rien ! Je l'espère...

— Mais moi, je sais que la *Sora algua* peut tout guérir !

— De quoi parles-tu ?

— D'une algue très rare. Elle ne pousse que dans la fontaine du village des mini-fées. Si je pars immédiatement, nous pourrons sauver Avalon !

— Non, Stamp ! Faragonda t'a interdit de retourner là-bas ! Si

Lord Darkar te suit, il trouvera le village !

— Mais si je n'y vais pas, que va devenir Avalon ?

Palladium se prend la tête dans les mains.

— Que faire ?... Bon, écoute. À mon avis, Darkar surveille en permanence les fées, mais il ne s'intéresse pas à nous. Le risque qu'il soit en train de t'observer est très faible. Et peut-être cette algue est-elle notre seule chance de sauver Avalon. Alors, vas-y. Mais, surtout, ne te fais pas remarquer !

— Ne vous inquiétez pas, professeur Palladium. Je vais aller plus vite que le tonnerre. Non, plus vite que la terre. Non, plus vite... Ça y est, je m'en souviens : plus vite que la lumière !

Et Stamp s'envole sur son surf magique.

Hélas... Au même moment, dans le palais des ténèbres, le terrible Lord Darkar éclate de rire :

— Ah, ah ! Tout se passe comme prévu... Icy ! Viens ici !

La chef des Trix apparaît et se prosterne devant lui.

— Suis cette stupide mini-fée, dit-il. Elle va te conduire jusqu'à son village. Là-bas, débrouille-toi pour trouver le Codex. Et ramène-le-moi !

Pour seconder Icy, il siffle ses horribles molosses... La chef des Trix crie à la meute :

— Plus vite, gros lourdauds !

Et elle se précipite au dehors, ravie de cette nouvelle occasion de semer le malheur.

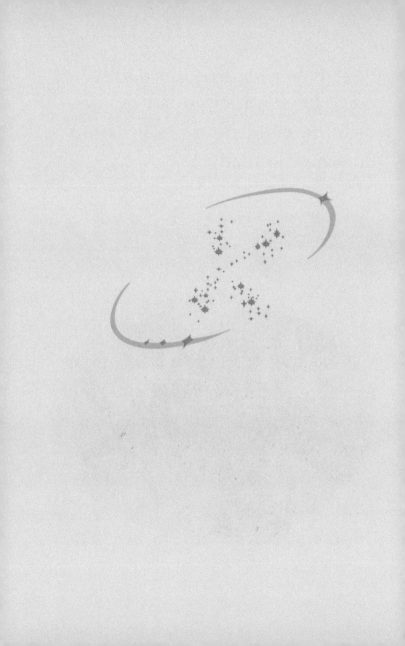

Chapitre 3

Dans les Terres Sauvages

Nous montons dans le vaisseau des Spécialistes. Pendant que mes amies préparaient leurs bagages, je me suis demandée si je ne pouvais pas rester discrètement à Alféa.

Finalement, j'y ai renoncé. J'ai

tellement besoin de m'intégrer dans le groupe des Winx ! Et je dois faire confiance à Mme Faragonda. Elle saura prendre soin des mini-fées qui restent à Magix.

Musa entre la première dans la cabine de pilotage, où se trouvent déjà les garçons.

— Salut tout le monde ! Salut Riven !

— Salut ! répond Riven sans lever le nez de son journal.

— Salut Timmy ! s'exclame Tecna avec enthousiasme.

— Salut Tecna ! dit Timmy,

sans perdre des yeux les cadrans du tableau de bord.

Tecna et Musa se regardent et soupirent en chœur :

— Ah ! Les garçons !...

Moi, j'ai ma petite Piff endormie dans mes bras. Pour l'instant, cela suffit à mon bonheur.

Le vaisseau décolle et, à toute vitesse, nous emmène loin de Magix. Un peu plus tard, nous arrivons en vue des Terres Sauvages.

Le prince Sky s'approche de Bloom :

— Ça va ?

— Oh ! Bien sûr, Sky ! répond celle-ci, irritée. Je ne suis plus une gamine. Je n'ai pas besoin qu'on prenne soin de moi tout le temps.

— Je sais. Je voulais juste...

— Qu'est-ce que tu vas me reprocher, encore ?

— Mais rien !

La mini-fée Amore pousse un soupir :

— Ce n'est pas encore aujourd'hui qu'on aura une belle histoire d'amour...

Nous atterrissons dans la seule ville de cette planète.

— Et maintenant, direction les magasins ! s'exclame Stella.

Et nous voilà très occupés à choisir nos tenues de ski. Flora hésite entre deux blousons.

— Lequel je prends ? Le plus mignon ? Ou bien le plus chaud ?

— Nous n'allons pas passer toute la journée à essayer des vêtements ! s'écrie Stella. Le ski nous attend !

Je lui lance un regard furieux.

— Tout le monde n'est pas une experte de la mode comme toi !

— Tu as remarqué, aussi, Layla ? Quel dommage !

Dans les rayons des garçons, je surprends un conciliabule entre Sky et Brandon.

— Tu as entendu comment Bloom m'a parlé ? s'indigne le prince Sky.

— Elle était stressée. Ça arrive.

— Moi je suis sûre qu'elle regrette qu'Avalon ne soit pas avec nous !

— Tu te fais des idées !

— Pas du tout ! Quand Darkar l'a ensorcelée, c'est lui qui l'a sauvée. Elle le regardait avec de ces yeux !

— Et alors ? Il l'a sauvée, mais c'est toi qu'elle aime !

Une heure plus tard, nous dévalons les pentes enneigées. Finalement, nous avons décidé de nous offrir tous la même tenue, c'était plus simple.

Yahou !... Comme cela fait du bien, un peu de sport !... La neige est parfaite ! Et le paysage magnifique !

Enfin, le sourire revient sur le visage de mes amis, garçons et filles. Vive Mme Faragonda qui a trouvé le moyen pour ressusciter notre amitié !

Ce que Layla ne sait pas

La mini-fée Stamp file sur sa feuille, plus vite que la lumière, ou presque. Afin de n'attirer l'attention de personne, elle vole au ras des racines de la forêt. Jusqu'à ce que...

— Ouille !

Une branche la heurte de plein fouet et l'assomme.

Dans son palais, Lord Darkar éclate de rire. Il suit ces péripéties à distance sur son écran magique. Et pour lui, rien n'est plus amusant que la souffrance des autres !

Icy s'approche et, l'air dégoûté, envoie sur la mini-fée un sortilège de guérison. Puis, vite, elle se cache. Si Stamp savait qu'elle est observée, elle renoncerait tout de suite à sa mission.

La mini-fée rouvre les yeux. Elle remonte sur son surf.

— Et voilà ! C'est reparti pour un tour !

Enfin, elle arrive en vue du village des mini-fées. Après tant de mois à Alféa, quel plaisir de retrouver ces adorables maisonnettes magiques et les quelques

mini-fées qui ont survécu à l'attaque de Lord Darkar !

— Regardez ! crie une mini-fée. C'est Stamp !

— Pas possible !

— Mes amies, mes amies, bonjour ! C'est moi, la mini-fée messagère, qui vole plus vite que la lumière !

— Cela fait si longtemps que tu es partie ! Quelles sont les nouvelles ?

Les mini-fées, ravies, entourent leur amie. Mais Stamp n'oublie pas sa mission, qu'elle tente de leur expliquer :

— Vite, je dois empoisonner une fleur !... Euh, non. Palladium a offert une fleur à Avalon... Non, ce n'est pas ça. Avalon a avalé une fleur... Oh, là, là, ça y est, je ne me rappelle plus !

Son regard tombe sur la fontaine construite au centre du
village.

— Je me souviens ! Je dois
cueillir une algue *Sora algua*
pour quelqu'un qui a des
ennuis !

C'est à cet instant que surgit
Icy.

— C'est vous qui allez avoir
des ennuis !

Elle lance un sortilège sur la
fontaine. L'algue qui y fleurissait
se fane instantanément. L'antidote est détruit !

— Je suis venue chercher

votre Codex, hurle Icy. Donnez-le-moi, ou je vous transforme toutes en glaçon !

La mini-fée du Codex apparaît. Elle s'interpose courageusement :

— Tu n'obtiendras rien de nous, sorcière !

— Ah oui ? ricane Icy.

Elle rassemble ses pouvoirs magiques et s'apprête à les lancer sur le village. La mini-fée du Codex est plus rapide qu'elle. Elle envoie vers les jambes d'Icy un mini-sortilège qui se transforme en liane. Chevilles ligotées, celle-ci tombe par terre !

Mais les monstres des ténèbres surgissent et entourent les minifées en grondant. Icy se redresse sans difficulté.

— Pour la dernière fois, donnez-moi le Codex ! Sinon, les molosses de Darkar vont détruire votre village et toutes vous dévorer !

La mini-fée du Codex pousse un cri :

— Non ! Je vous en prie ! Si vous épargnez mes amies, je vous donnerai le Codex !

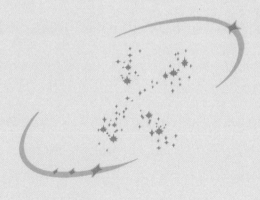

Chapitre 5

Une panne très périlleuse

Il neige. Tout ce blanc, quelle merveille ! Brandon nous entraîne vers les téléphériques.

— Allez ! On essaie la super-descente ! Vous allez voir : on va tous s'éclater !

— Mais il faut monter dans

cette vieille machine ! fait remarquer Flora. Vous croyez qu'on va en ressortir vivant ?

Heureusement, nous arrivons sans encombre au sommet. Sky s'élance le premier sur sa planche de surf :

— Le dernier en bas est une vieille salade confite !

— Ce sera toi ! s'écrie Brandon.

— Plus que quarante-trois minutes de jour, précise Tecna.

Plus loin dans la descente, Riven crie à l'intention de Sky, toujours en tête.

— Attention à l'arbre !

Celui-ci regarde en arrière.

— Lequel ?

Du coup, il ne voit pas l'énorme bosse qui se trouve devant lui. Il s'envole, et retombe tête la première dans la poudreuse. Riven en profite pour le doubler.

— À tout à l'heure !

Mais il se retourne à son tour, afin de narguer Sky. Celui-ci repart à toute allure sur son surf. Ils sont tellement occupés par leur rivalité, qu'ils ne remarquent pas une silhouette féminine qui file plus vite qu'eux...

En bas de la piste, les deux Spécialistes se rentrent dedans et s'effondrent dans la poudreuse.

— Ben alors, les garçons, vous en avez mis un temps !

— Layla ! C'est toi !

Je ris sous cape. La plus rapide du groupe, garçons y compris, c'est moi !

Lorsque les autres nous retrouvent, la nuit est là. La neige tombe à gros flocons. Pour rejoindre notre hôtel, nous devons prendre à nouveau le téléphérique.

Accrochée à son câble, la cabine grimpe péniblement la montagne, au milieu d'une impressionnante tempête de neige.

Soudain, la cabine s'arrête net dans le vide, très haut au-dessus des rochers.

— J'entends un drôle de grincement, fait remarquer Brandon.

La mini-fée Lockette commence à se sentir mal :

— Je déteste être coincée si loin du sol !

— Ne t'inquiète pas, lui dis-je. Cela se produit de temps en temps. Ça va repartir.

Nous attendons avec patience. Mais la cabine se contente de se balancer dans la tempête. Timmy se tourne vers Riven.

— Prends-moi sur tes épaules, je vais regarder ce qui se passe.

Il sort sa tête par le toit du périphérique et crie :

— Oh, là, là !

— Quoi ? Qu'est-ce qui se passe ?

— À cet endroit, le câble est tout usé ! Il ne va pas tarder à se rompre !

— Je le savais ! crie Lockette. On va tous y rester ! Au secours !

Chapitre 6

Tous ensemble

Si seulement nous pouvions utiliser nos pouvoirs magiques ! Nous pourrions nous envoler de la cabine... Mais ici, dans les Terres Sauvages, notre magie est inopérante. Que nous avait conseillé Mme Faragonda, en cas de danger ?

63

Le nez collé aux vitres, mes amis regardent avec effroi les rochers contre lesquels nous risquons de nous écraser très bientôt.

— Faites quelque chose, les Spécialistes ! s'écrie Tecna, toute blanche.

— Que veux-tu qu'on fasse, Mademoiselle Je-sais-tout ? dit Brandon, vexé de n'avoir rien à proposer.

— C'est vous, les filles, qui aviez besoin de vacances, grommelle Riven. On n'aurait jamais dû accepter de vous accompagner !

— Eh bien merci ! s'exclame Musa, outrée.

— J'ai peur ! hurle Lockette.

Je ne veux pas augmenter la panique générale, mais je dois reconnaître que je suis aussi terrorisée que les autres. Quant à

Bloom, je ne comprends pas ce qui lui arrive. On dirait qu'elle boude, bras croisés, seule dans un coin.

Soudain, elle sort de son mutisme.

— Ça suffit ! Du calme ! Nous allons trouver une solution ensemble.

— Utilisons notre intelligence, suggère Tecna.

— Nous n'avons pas le choix, alors taisez-vous ! Et tout le monde se concentre, ajoute Bloom avec autorité.

Quelques secondes plus tard, c'est elle qui rompt le silence :

— J'ai une super idée. Retirez tous vos manteaux et donnez-les-moi...

Nous lui obéissons. Brrr... L'air de la cabine est glacial. Tout en grelottant, nous mettons son plan à exécution.

Aidées par les mini-fées, Stella et Flora découpent les pièces de tissu et les recousent autrement. Tecna et Timmy, eux, font de savants calculs sur la stabilité d'un engin volant.

De mon côté, je suis chargée de surveiller l'état du câble au-dessus de nous. Brusquement, plusieurs fils métalliques rompent en même temps.

— Dépêchons-nous ! dis-je. Ça ne tient plus que par un fil !

Brandon et Sky ouvrent grand les portes de la cabine. Puis ils commencent à sortir notre drôle d'engin volant : un deltaplane géant.

Luttant contre la tempête de neige, nous nous plaçons tous les uns à côté des autres, fermement accrochés à la barre du delta-plane. Les mini-fées se réfugient

chacune dans la poche de leur connexion parfaite.

Bloom nous donne le signal du départ :

— Allons-y !

Et tous ensemble, nous sautons dans le vide !

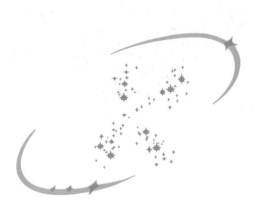

Chapitre 7

Ce que Layla ne sait pas

Malgré la désapprobation des autres mini-fées, la protectrice du Codex tend le précieux objet magique à Icy. Mais, plus vite que l'éclair, c'est Stamp qui l'intercepte !

Le Codex a exactement la forme d'une planche de surf.

En lui transmettant son énergie magique, la mini-fée file avec lui dans la forêt ! Aussitôt, Icy et les monstres des ténèbres se lancent à sa poursuite. Le village des mini-fées est sauvé !

Entre les arbres, Stamp remarque un trou dans le sol. Elle a l'intention de s'y cacher. Mais il s'agit d'un souterrain... Elle s'y engouffre en volant, bientôt suivie par Icy.

Stamp tente de semer Icy, tandis qu'au bout du tunnel apparaît une lumière. Le passage débouche sur une ville souterraine !

La mini-fée est accueillie par
un étrange personnage, mi-
femme, mi-insecte, avec des yeux
immenses et un nez minuscule.
De gros gaillards musclés à tête
de hannetons l'entourent. Et
elle n'a vraiment pas l'air
commode !

— Étrangère, dit-elle, vous êtes dans mon royaume de Downland. Je suis la reine Amentia.

Soulagée, Stamp reprend son souffle. Amentia est une alliée, qu'elle n'a jamais rencontrée auparavant, mais dont elle a entendu parler par Layla.

Stamp retrouve à peine ses esprits que déjà, la tête furieuse d'Icy apparaît à la sortie du souterrain.

— Où nous as-tu emmenées, imbécile ?

Vite, Stamp se cache derrière Amentia et ses gardes.

— Dans mon royaume, c'est moi qui pose les questions ! lui rétorque la reine.

Icy hausse les épaules et la toise avec mépris.

— Je suis plus puissante que toi ! Donne-moi le Codex, Stamp !

La mini-fée secoue la tête. Pour impressionner Amentia, Icy lance une salve de magie, enfermant deux gardes dans des glaçons.

Mais la reine de Downland, elle, réussit à les esquiver. Tandis que pleuvent les mauvais sorts, elle saute tantôt à droite, tantôt à gauche.

— Elle est trop rapide, s'énerve Icy. Où a-t-elle bien pu passer ?

Amentia réapparaît derrière un rocher.

— Ces glaçons seront excellents pour mes cocktails !

La reine-insecte lance sur Icy ses dards magiques. Mais la chef des Trix les arrête facilement !

Alors Amentia se jette sur
elle, son sceptre à la main. Après
quelques passes d'armes, Amentia attrape Icy et lui bloque la res-
piration en lui serrant le cou
avec son sceptre.

— Rends-toi, maudite voleuse !

Mais la sorcière se redresse et réplique par un sort bien ajusté. Le sceptre magique d'Amentia se brise en mille morceaux.

— Donnez-moi ce Codex où vous allez le regretter ! rage Icy.

— Sache qu'Amentia ne s'avoue jamais vaincue !

La reine émet un signal. Aussitôt, une dizaine de gardes aux muscles impressionnants accourent.

— À moi, mes sœurs ! s'écrie Icy.

Et voilà Stormy et Darcy qui apparaissent ! Cachée derrière un rocher, Stamp serre le précieux Codex contre sa poitrine.

Amentia sort son épée et, pour encourager ses gardes, se lance la première vers les sorcières.

Mais Icy et Stormy l'arrêtent en déclenchant une tempête de glace. Darcy profite de ce répit pour préparer son sortilège : un trouble de la vision.

Amentia et ses gardes ne voient plus que des taches noires

qui volent un peu partout ! Ils se cognent les uns dans les autres, trébuchent et s'affalent.

Profitant de la pagaille générale, Icy se jette sur Stamp, et lui arrache le Codex. Elle jette un regard triomphant à ses sœurs, puis elles disparaissent toutes les trois. Darkar va être ravi ! Bientôt, il aura entre les mains les quatre parties du précieux Codex...

Heureusement, tout ne finit pas aussi mal. Pendant que Stamp se rendait au village des mini-fées, Palladium a ramené

Avalon à Alféa. Aidé du professeur Wizgyz, il a trouvé un antidote au poison de la plante.
Avalon est sauvé !

Chapitre 8

Le Charmix
de Bloom

Dans la tempête de neige,
notre deltaplane géant nous
emporte doucement loin des
rochers. Splatsch ! Nous atterrissons un peu brutalement dans la
poudreuse. Mais nous sommes
tous sains et saufs.

— Ah, j'ai adoré ça ! dis-je en riant. Voler sans pouvoir magique, à la manière des humains, c'est aussi très agréable.

Flora m'approuve.

— Bloom, tu nous as sauvés ! s'écrie Sky.

Bloom secoue sa tête pleine de flocons.

— Mais non ! Nous nous sommes sortis de cette situation périlleuse, parce que nous avons réussi à travailler en équipe !

Elle a raison. Moi qui suis à côté d'elle, je remarque que

ses yeux se remplissent de larmes.

— Je vous dois à tous des excuses, dit-elle. Ces derniers temps, je n'avais plus confiance en notre amitié. Ni même en l'amour de Sky.

Elle se jette dans ses bras.

— Pardonne-moi, Sky !

Avec un grand sourire, le prince la serre fort contre lui.

— Bien sûr, Bloom. Ne t'inquiète pas. Je t'aime.

Elle le regarde en souriant. Soudain, un signe magique apparaît à l'emplacement de son cœur.

— Oh ! Qu'est-ce que c'est ?

La mini-fée Chatta sort de la poche de Bloom et volette autour d'elle.

— C'est un Charmix, Bloom ! Tu as su surmonter tes faiblesses ! Alors, tes pouvoirs magiques sont renforcés.

Formidable ! Je suis heureuse pour notre amie. Mais aussi pour Alféa et pour Magix. Car si jamais Darkar réussissait à obtenir le Codex des mini-fées, sa magie

maléfique deviendrait toute-puis-sante ! Pour le combattre, nous aurions bien besoin du Charmix de Bloom !

FIN

Quel nouveau plan maléfique les Winx devront-elles déjouer ? Pour le savoir, regarde vite la page suivante !

Bloom et ses amies sont prêtes
pour de nouvelles aventures !

Dans *Le pouvoir du
Charmix*, le 15e
volume de la série
Winx Club

Alors qu'elles sont toujours dans les
Terres Sauvages, les Winx sont attaquées
par les Trix ! Pour les vaincre, chaque fée doit
résoudre un problème personnel. Car c'est
en surmontant leurs peurs que les Winx
pourront gagner leur Charmix, qui décuplera
leur pouvoir ! Les Winx réussiront-elles à
franchir cette nouvelle étape ?

Les as-tu tous lus ?

Retrouve toutes les histoires de tes fées préférées dans les livres précédents...

1. Les pouvoirs de Bloom

2. Bienvenue à Magix

3. L'université des fées

4. La voix de la nature

5. La Tour Nuage

6. Le Rallye de la Rose

7. Les mini-fées

8. Le mariage de Brandon

9. L'étrange Avalon

10. À la poursuit du Codex

11. Sur la planète du prince Sky

12. Que la fête continue !

13. Alliance impossible

Table

Imprimé en France par Qualibris *(J-L)*
dépôt légal N° 85109 – avril 2007
20.20.1389.4/01 – ISBN 978-2-01-201389-6
Loi n° 49-956 du 16 juillet 1949
sur les publications liées à la jeunesse